Und wer lebt noch in …
Giovanni
Porter
Macht das beste Eis!
Hier gibt es ALLES zu kaufen!
Bei ihnen wohnt Justus …
TITUS JONAS
WERTSTOFFHANDEL
… auf einem Schrottplatz.
Onkel Titus ist Schrotthändler.

Die drei ???® Kids

Alarm, die Ritter kommen!

Von Ulf Blanck und Boris Pfeiffer

Illustriert von Jan Saße und Kim Schmidt

KOSMOS

Umschlaggestaltung von Maria Seidel, Teising,
unter Verwendung einer Illustration von Jan Saße
Textillustrationen von Jan Saße, Kim Schmidt
und Udo Smialkowski

Unser gesamtes lieferbares Programm und viele
weitere Informationen zu unseren Büchern,
Spielen, Experimentierkästen, DVDs, Autoren und
Aktivitäten findest du unter **kosmos.de**

Gedruckt auf chlorfrei gebleichtem Papier

© 2018, Franckh-Kosmos Verlags-GmbH & Co. KG, Stuttgart
Alle Rechte vorbehalten
ISBN 978-3-440-16172-2
Redaktion: Ruth Prenting
Grundlayout und Satz: DOPPELPUNKT, Stuttgart
Produktion: Hanna Schindehütte
Druck und Bindung: Grafisches Centrum Cuno, Calbe
Printed in Germany / Imprimé en Allemagne

Inhalt

Auf zur Ritterburg!

An diesem Morgen wurde Justus Jonas von einem lauten Rufen geweckt. Es war Onkel Titus! „Aufwachen, du Schlafmütze! Deine beiden Freunde sind schon da. Ihr wolltet mir doch heute helfen.“

Jetzt war Justus hellwach. Er hatte verschlafen! Schnell sprang er aus dem Bett und polterte die Holztreppe hinunter.
Draußen auf der Veranda saßen Peter und Bob schon mit Onkel Titus am Frühstückstisch. Jeder hatte ein großes Stück Kirschkuchen vor sich auf dem Teller.
„Da bist du ja endlich, Justus“, begrüßte ihn Peter. „Wir dachten schon, du magst keinen Kuchen mehr. Nimm dir ein Stück!“

Das ließ sich Justus nicht zweimal sagen. Vergnügt stopfte er sich ein großes Stück Kuchen in den Mund. In diesem Moment kam Tante Mathilda auf die Veranda. In der Hand hielt sie eine Kanne heißen Kakao. „Justus! Du kannst den Kuchen doch nicht mit den Fingern essen!“, rief sie.
Justus musste lachen.
„Warum nicht?“, fragte er. „Das hat man früher auch gemacht. Denk mal an die Ritterzeit!“
Jetzt mischte sich Onkel Titus ein: „So ein Zufall! Bei mir geht es heute auch um Ritter.“

Die drei Freunde sahen ihn mit großen Augen an. „Um Ritter?“, riefen sie im Chor.

„Genau“, erklärte Onkel Titus. „Wir fahren gleich mit meinem Transporter in die Berge. Und dort steht eine Ritterburg.“

„Hier in Kalifornien gab es doch gar keine Ritter“, bemerkte Peter.

„Das stimmt“, antwortete Onkel Titus. „Die Burg wurde von einem reichen Mann gebaut, der das Ritterleben sehr liebte. Er ist aber leider vor einigen Monaten gestorben. Ich habe nun den Auftrag, die Burg zu entrümpeln.
Alles, was in dem Gebäude steht, muss in den Transporter geladen werden. Möbel, Geschirr, Teppiche und vieles mehr.“

Bob war begeistert. „Ich wollte mir schon immer eine Ritterburg ansehen. Vielleicht gibt es dort auch Rüstungen und echte Schwerter. Worauf warten wir noch?"

„Lasst euch aber nicht von einem Burggespenst erschrecken!", warnte Tante Mathilda.

Justus musste grinsen. „Wer glaubt denn an Gespenster?"

Es spukt!

Wie viele Gespenster zählst du?

Burggespenster

Vor der Burg stoppte Onkel Titus den Transporter, und alle stiegen aus.
Justus war beeindruckt. „Das ist tatsächlich eine echte Ritterburg. Mit Türmen, einer Zugbrücke und einem Burggraben. Der Erbauer muss das Ritterleben wirklich geliebt haben."
„Ja, das hat er", bestätigte Onkel Titus. „Der Burgherr hatte aber auch für die Menschen von heute etwas übrig. Er hat seinen Besitz einem Kinderkrankenhaus vermacht."

Bob betrachtete neugierig die Ritterburg. „Wie hieß der Besitzer eigentlich?“, fragte er.

Da raschelte es plötzlich hinter ihnen im Gebüsch.

„Das kann ich dir verraten, mein Junge“, sagte jemand mit tiefer Stimme. „Der Besitzer hieß Heribert von Wolkenstein.

Mein Name ist übrigens Karl.

Ich bin hier der Gärtner.

Auf jeden Fall so lange, bis alles verkauft ist.“

Onkel Titus reichte Karl die Hand.
„Und ich bin Titus Jonas. Ich habe den Auftrag, das Haus zu entrümpeln."
„Ja, ich weiß", erwiderte der Gärtner.
„Machen Sie ruhig. Aber passen Sie auf sich auf! Hier spukt es nämlich!"
Mit diesen Worten drehte Karl sich um und verschwand.
Peter musste schlucken. „Was soll das bedeuten?", fragte er. „Gibt es hier etwa doch ein Burggespenst?"
Bob klopfte seinem Freund auf die Schulter. „Ach was. Gespenster gibt es nur in Büchern. Kommt mit! Ich will mir die Ritterburg von innen ansehen."

„Ja, geht schon mal los“, sagte Onkel Titus. „Ich muss den Transporter noch mit Decken auslegen.“

Neugierig betraten die drei Freunde die Zugbrücke. Die Holzbretter knarrten bedrohlich. Unter ihnen befand sich der Burggraben!

Kurz darauf standen Justus, Peter und Bob im Innenhof der Ritterburg. In der Mitte gab es einen gemauerten Brunnen.
Bob warf ein kleines Steinchen in das dunkle Loch.

„Ich will wissen, wie tief es da
nach unten geht“, erklärte er.
„Gleich müsste der Stein im Wasser
aufklatschen.“
Doch stattdessen hörten die
drei ??? eine unheimliche Stimme:
„Auuuihhh …“
Peter erschrak. „Was war das?
Ein Burggespenst?“

Justus knetete seine Unterlippe.
Das tat er immer, wenn er scharf
nachdachte.
„Es gibt im wirklichen Leben
keine Gespenster“, sagte er.
„Das Geräusch muss eine andere
Ursache haben.“
In diesem Moment begann eine
Glocke zu läuten. Krähen flatterten
auf. Und wieder ertönte die Stimme
aus dem Brunnen: „Auuuihhh …
Verschwindet! Die Geisterstunde
kommt!“
Jetzt bekam auch Bob Angst. „Und
was war das, Justus? Was, wenn es
doch Gespenster gibt?“

Zeitreise

Hier haben sich ein paar Dinge eingeschlichen, die nicht in eine Ritterburg gehören. Welche?

Burg Wolkenstein

Die Glocke im Turm verstummte, und aus der Burg trat eine Frau. Sie trug ein weißes Gewand und eine karierte Schürze.

„Sprecht nicht so über die armen Seelen!“, rief sie. „Sie sind gefangen hinter diesen Mauern. Wir alle sind gefangen. Alle, die diese Burg betreten.“

Etwas unsicher ging Justus auf sie zu. „Guten Tag!“, sagte er.
„Mein Name ist Justus Jonas. Mein Onkel hat den Auftrag, hier zu entrümpeln.“
„Ich heiße Hedwig“, sagte die Frau.
„Ich bin die Köchin auf Burg Wolkenstein. Tut, was ihr tun müsst.
Doch seid gewarnt: Die Geister mögen es nicht, wenn man in ihren Sachen stöbert.“

Mit schnellen Schritten verschwand sie wieder in der Burg.
Peter wurde immer blasser. „Wollen wir nicht einfach nach Hause fahren?“, fragte er.

Justus schüttelte den Kopf. „Nein. Hier stimmt etwas nicht. Es wird Zeit, dass wir ermitteln.“
Bob sah das genauso. „Schließlich sind wir Detektive. Und die drei ??? übernehmen jeden Fall. Mir nach, wir gehen jetzt rein!“
Drinnen führte sie ihr Weg zunächst durch einen langen Flur.
Dann betraten die drei ??? einen großen Rittersaal. In der Mitte stand ein Tisch, und dahinter befand sich ein offener Kamin.
Peter blickte sich um.
„Man kann sich richtig vorstellen, wie hier die Ritter saßen“, sagte er.

„Auf dem Tisch standen Platten mit Wurst und Schweinebraten, Sauerkraut und Brot. Gegessen wurde mit den Händen, und alle schmatzten wie die Schweine."

Über dem Kamin war ein langes Schwert angebracht, und Bob nahm es lachend in die Hand. „Genau“, fügte er hinzu. „Und nach dem schmatzenden Festmahl kämpften die Ritter für Ruhm und Ehre.“ Dann fuchtelte er mit dem Schwert herum und rief: „Hört her, ihr Geister! Ich bin Bob von Bobbersfeld und fordere euch zum Kampf auf.“

Justus musste auch lachen und nahm ihm das Schwert ab. „Sehr gut, Bob von Bobbersfeld. Aber das Ding kommt auf den Transporter, bevor du dich noch schneidest.“

Nur Peter lachte nicht mit. Mit zittrigen Händen zeigte er auf eine Ritterrüstung neben dem Kamin. „Hört auf mit dem Quatsch! Ich glaube, die Ritterrüstung hat sich gerade bewegt.“

Ritter und ihre Schilde

Welcher Schild gehört wem?

Verbinde.

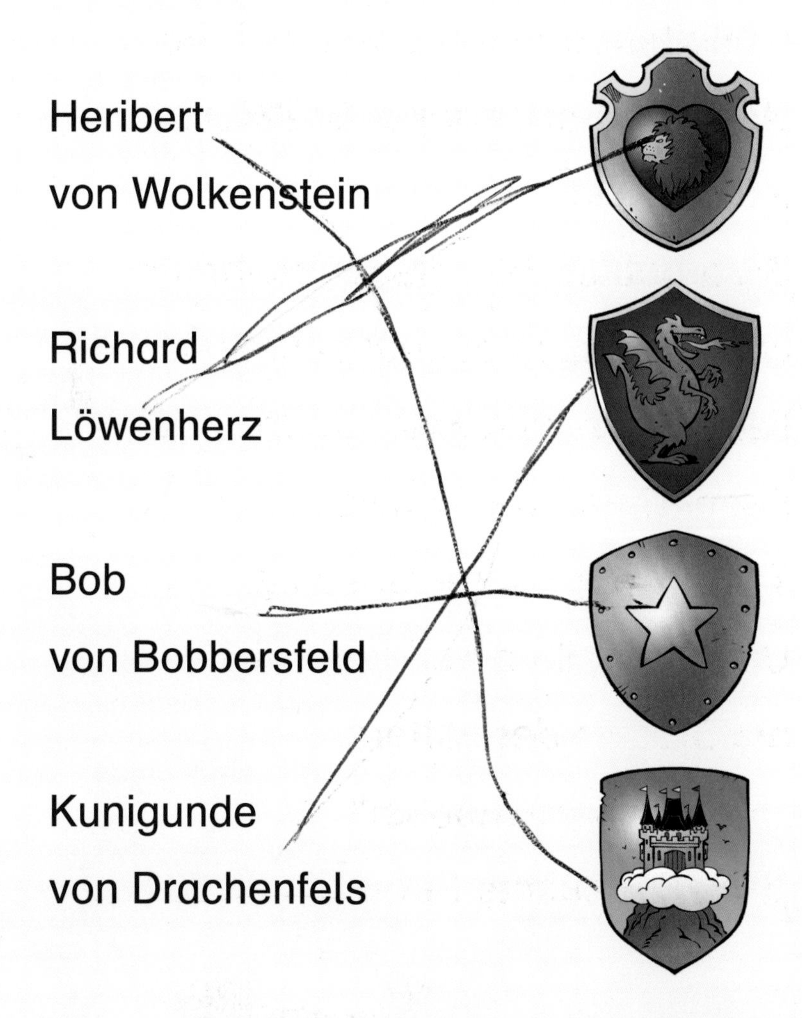

Heribert
von Wolkenstein

Richard
Löwenherz

Bob
von Bobbersfeld

Kunigunde
von Drachenfels

Hilfe, schnell weg hier!

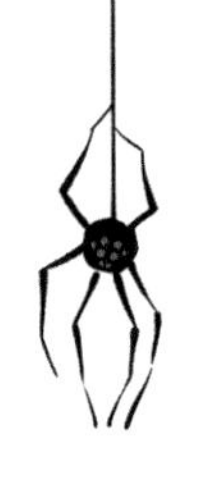

In diesem Moment hob der Ritter seinen Arm, und eine Furcht einflößende Stimme war zu hören: „Harrrrrbarabaaaass! Das werdet ihr bereuen.“
Jetzt gab es kein Halten mehr für die drei Freunde. Laut schreiend liefen sie zum Ausgang. Doch zu ihrem Entsetzen schwang die Tür direkt vor ihrer Nase zu.
Und hinter ihnen erklang wieder die Stimme des Ritters: „Harrrrrbarabaaaass!“
„Hilfe!“, keuchte Peter.

Da entdeckte Justus neben der
Tür einen schmalen Durchgang im
Gemäuer. „Los, rein da!“, rief er.
Die drei ??? rannten in den Gang.
Nach einigen Metern ging es über
eine steile Wendeltreppe nach oben.
Immer noch dröhnte die
Ritterstimme hinter ihnen. Dazu
war jetzt das Rasseln von Ketten
zu hören.
„Schneller“, stöhnte Peter und
nahm gleich zwei Stufen auf
einmal. Bob und Justus jagten
ihm hinterher.
Die Wendeltreppe endete in einem
Turmzimmer.

Justus rang nach Luft. Er war nicht gerade der Sportlichste. „Freunde, wir müssen uns beruhigen. Für alles, was wir gehört oder gesehen haben, muss es eine natürliche Erklärung geben. Wir dürfen uns nicht von unserer Angst leiten lassen.“

Peter war blass vor Schreck. Er lehnte sich an den Kamin. „Das ist leicht gesagt. Die Ritterrüstung ist lebendig geworden.“
Bob war genauso bleich wie Peter. „Ja, das waren Geister! Die wollen uns hier nicht haben.“ 
In diesem Augenblick hörten die drei ??? wieder eine Stimme. Diesmal kam sie aber nicht von der Treppe, sondern direkt aus dem offenen Kamin.

Peter sprang entsetzt zur Seite.
Doch Justus hielt ihn zurück.
„Warte!“, rief er. „Das ist keine
Geisterstimme. Hört ihr das nicht?“
Bob lauschte und ging vorsichtig
auf den Kamin zu. „Ich glaube,
Justus hat recht“, flüsterte er.
„Das ist eine ganz normale Stimme.
Und sie kommt mir bekannt vor.“
Justus nickte. „Mir auch“, sagte er.
„Das ist die Stimme von Karl, dem
Gärtner. Und jetzt höre ich auch
die Köchin. Die beiden müssen
unten im Rittersaal stehen. Durch
den Kaminschacht können wir sie
belauschen.“

Gebannt verfolgten die Freunde das Gespräch. „So ein Mist“, hörten sie den Gärtner sagen. „Diese Gören lassen sich einfach nicht durch unseren Geister-Auftritt verjagen. Dabei hat das sonst doch immer so gut geklappt! Lautsprecher im Brunnen, dünne Schnüre an der Ritterrüstung und ein bisschen Kettengeklapper.“

Die Frau unterbrach ihn: „Unsere Verkleidungen als Gärtner und Köchin haben sie aber geglaubt. Wieso musste dein Vater auch alles dem Kinderkrankenhaus vererben? Hätte ich das gewusst, dann hätte ich dich nie geheiratet. Wo hat dein Vater nur sein Gold versteckt? Seit Monaten suchen wir es nun schon."

„Wir werden den Schatz finden", versprach der Mann. „Du wirst so reich sein, wie du es dir immer gewünscht hast."

Burg-Entdecker

Wo sind die drei ??? überall gewesen? Drei Antworten sind richtig.

A) Auf der Zugbrücke

B) Im Burggraben

C) Im Rittersaal

D) Im Turmzimmer

E) Im Verlies

F) In der Küche

Geister gegen Geister

„Jetzt ist mir klar, was hier gespielt wird“, verkündete Justus. „Der Sohn von Heribert von Wolkenstein und seine Frau sind wütend, weil das Geld dem Kinderkrankenhaus vermacht wurde.“

Bob nickte. „Ganz genau. Und sie haben es auf den Goldschatz abgesehen. Bestimmt hat der Burgherr das Gold vor den Gaunern versteckt. Er hat gewusst, dass sie es nur für sich ausgeben würden.“

„Was für eine traurige Geschichte“, sagte Peter. „Was machen wir jetzt?“

„Die beiden haben versucht, uns zu vertreiben. Nur damit sie in Ruhe weiter nach dem Schatz suchen können“, überlegte Justus. „Ich finde, wir sollten den Spieß jetzt einfach umdrehen.“
„Du willst sie erschrecken?“, fragte Bob.
„Genau“, antwortete Justus. „Ab durch den Kamin!“
Peter beugte sich vor. „Der Kamin ist breit genug“, erklärte er. „Es gibt sogar Eisenstufen an den Wänden.“
„Dann los“, rief Justus. „Wir zahlen es den beiden mit unseren besten Geisterstimmen heim.“

Vorsichtig stiegen die
drei ??? in den Kamin und
kletterten die Stufen hinab.
Schließlich nickte Justus
seinen Freunden zu.
„Jetzt!“
Sofort begannen die
drei ???, wie schreckliche
Geister zu heulen.
„Huuuaaach …“, schallte
es schauerlich durch
den Kamin.

„Wir sind die wahren Geister von Burg Wolkenstein! Treibt keine dummen Scherze mit uns! Gierige Geister werden von wahren Geistern vertrieben!“, riefen die drei ??? mit verstellten Stimmen.

Im selben Moment kreischte die Frau im Rittersaal: „Was war das? Hilfe! Gibt es hier wirklich Geister?“

„Weg hier!“, ertönte nun auch die Stimme des Mannes. „Das ist der Geist meines Vaters. Er will uns vertreiben. Nur schnell weg!“

„Volltreffer“, flüsterte Bob.

Die drei ??? lachten, als sie aus dem Kamin kletterten. Justus lief ans Fenster. Von den zwei Gaunern war nichts mehr zu sehen.
„Lasst uns zu Onkel Titus gehen“, entschied er. „Die Gauner sind verjagt. Jetzt kümmern wir uns um den Ritterschatz!“

Geisterstimmen

Woher kommt welche Stimme?

Verbinde.

Seltsame Entdeckung

Die drei ??? gingen in den Burghof
und halfen Onkel Titus beim Aufladen.
Als Letztes kam die Ritterrüstung an
die Reihe.
Onkel Titus zeigte auf eine große
Holzkiste. „Da legen wir sie hinein."
„Hauptsache, sie bewegt sich nicht
mehr", sagte Peter leise.

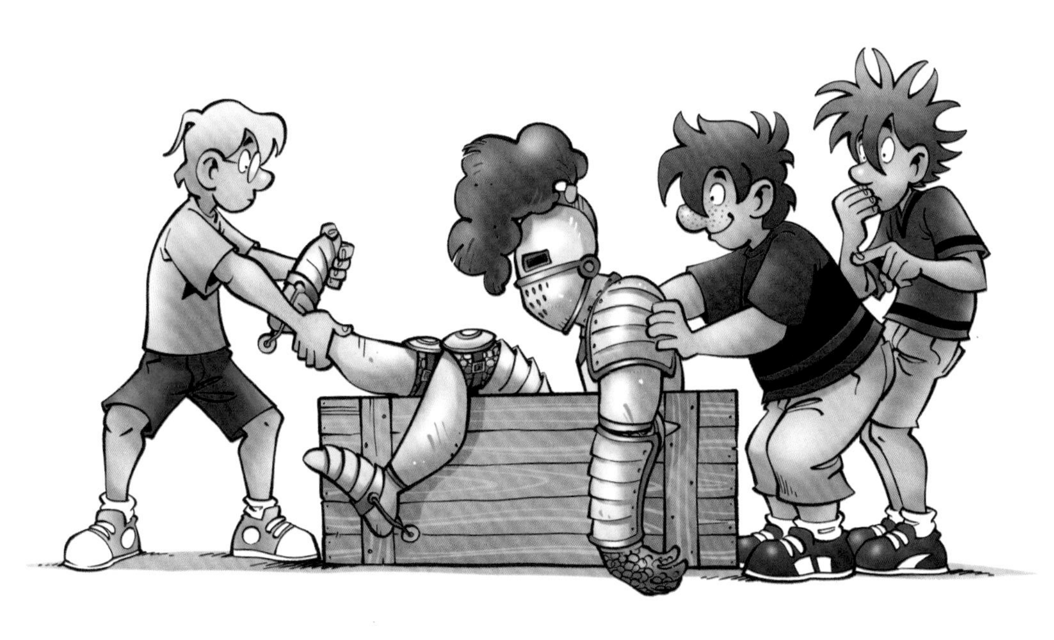

Als die drei ??? mit Onkel Titus auf dem Schrottplatz ankamen, öffneten sie die Klappe des Transporters. Tante Mathildas Blick fiel auf die Ladefläche. Sie schlug die Hände über dem Kopf zusammen.

„Titus, was hast du da nur wieder angeschleppt?“, rief sie. „Das müssen wir alles verkaufen!“

„Und zwar so schnell wie möglich“, erwiderte Onkel Titus.

„Denn der gesamte Erlös kommt dem Kinderkrankenhaus zugute. Der alte Heribert von Wolkenstein konnte gierige Menschen nicht leiden. Deswegen ist sein Geld für einen guten Zweck bestimmt."
„Mit den gierigen Menschen meinte er bestimmt seine Schwiegertochter und seinen Sohn",
flüsterte Bob.

„Ja“, sagte Justus. „Aber jetzt wird Onkel Titus dafür sorgen, dass alles in Ordnung kommt.“
Tante Mathilda rief: „Jungs, bitte räumt alles vom Transporter.“
Dann sah sie Onkel Titus an. „Und wir müssen dringend zu Mister Porter. Heute Nachmittag kommt Kommissar Reynolds zum Kaffeetrinken. Einen Kirschkuchen habe ich schon gebacken. Aber mir ist der Kaffee ausgegangen.“

„Das sind wirklich echte Kostbarkeiten“, meinte Bob. Er hielt einen Teller in der Hand, auf den die Burg gezeichnet war. Peter wedelte mit einer Fahne, auf der ein Wappen leuchtete. Zuletzt war nur noch die große Holzkiste mit der Ritterrüstung übrig. Justus hob den Deckel ab. Er fasste unter den Helm.

„Uff, ist der schwer“, keuchte er.
„Bob, hilf mir mal.“
Zusammen hoben die beiden die ganze Rüstung ein Stück in die Höhe. Doch dann rutschte sie Justus aus den Händen. Der Helm polterte zu Boden und schlug gegen einen großen Stein.
„Oh nein!“, rief Justus. „Hoffentlich hat er keine Beule abbekommen.“
„Mal sehen!“ Bob hob den Helm auf und betrachtete ihn. Dann wandte er sich zu seinen Freunden um. „Nun seht euch das an!“, stieß er hervor.

Wertvoller Schrott

Die Teile der Ritterrüstung liegen auf dem Schrottplatz verstreut.

Wie viele Teile sind es?

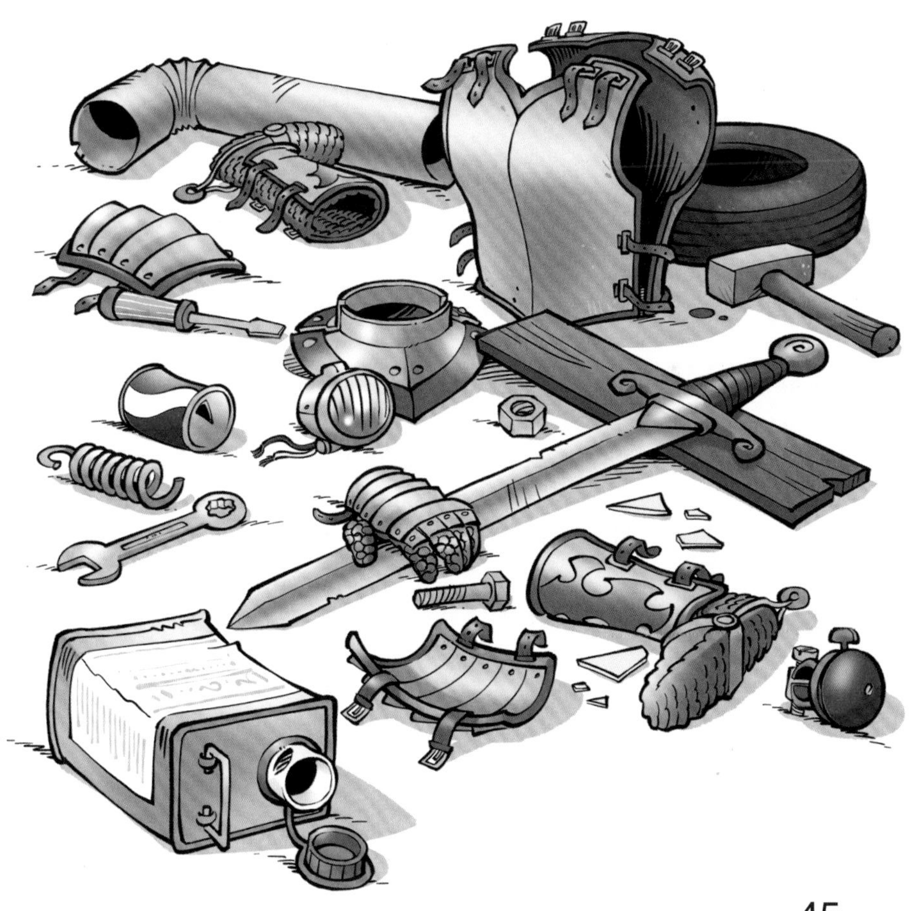

Ein besonderer Schatz

Von dem Ritterhelm war ein
bisschen graue Farbe abgeplatzt.
Und darunter schimmerte es golden.
„Das sieht aus wie echtes Gold“,
flüsterte Peter.
„Freunde“, jubelte Justus. „Ich
glaube, wir haben den Goldschatz
des alten Wolkenstein gefunden.“
„Du meinst, diese Rüstung ist
aus Gold gemacht und einfach nur
mit grauer Farbe angemalt?“,
fragte Peter. „Das wäre ein
geniales Versteck.“
Vorsichtig kratzte Bob mehr von

der grauen Farbe ab. Und wirklich:
Überall blitzte und funkelte es.
„Unglaublich! Die Rüstung ist
aus purem Gold angefertigt“,
flüsterte er andächtig.
Kaum hatte Bob das gesagt, erklang
ganz in der Nähe ein seltsames
Klappern.

„Was war das?“ Peter fuhr herum.
Doch nichts war zu sehen.
„Das kam dahinten vom Zaun“,
sagte Justus. „Ob uns jemand
belauscht hat?“
„Wer denn?“, fragte Peter
erschrocken.
„Vielleicht haben die Gauner uns
verfolgt?“, überlegte Justus.

Gemeinsam schlichen die drei ???
zum Tor des Schrottplatzes.
Vorsichtig sahen sie hinaus.
Tatsächlich stand einige Meter
entfernt ein Auto verlassen
am Straßenrand.

„Seht nur!“ Bob blickte durch die Scheibe. Auf dem Rücksitz lagen eine karierte Schürze und eine Heckenschere. „Das sind genau die Dinge, die die Gauner in der Burg bei sich hatten!“
„Und was machen wir jetzt?“, wollte Peter wissen.

„Die Gauner müssen sich irgendwo auf dem Schrottplatz versteckt haben“, vermutete Justus. „Und wahrscheinlich haben sie mitbekommen, was es mit der Rüstung auf sich hat. Wir müssen den Schatz in Sicherheit bringen.“

Rasch liefen die Freunde zurück. Die Rüstung lag unversehrt in der Kiste. Justus legte den Helm dazu. „Wir tragen die Kiste jetzt in den Schuppen“, sagte er leise. „Dort tauschen wir die Ritterrüstung gegen Schrott aus. Wenn jemand die Kiste stiehlt, bekommt er nur Blech. Alles klar?“

Bob und Peter nickten.

Justus grinste. Dann rief er sehr laut: „Bringen wir die Kiste rein, wie Onkel Titus es uns aufgetragen hat.“

Zwei Rüstungen

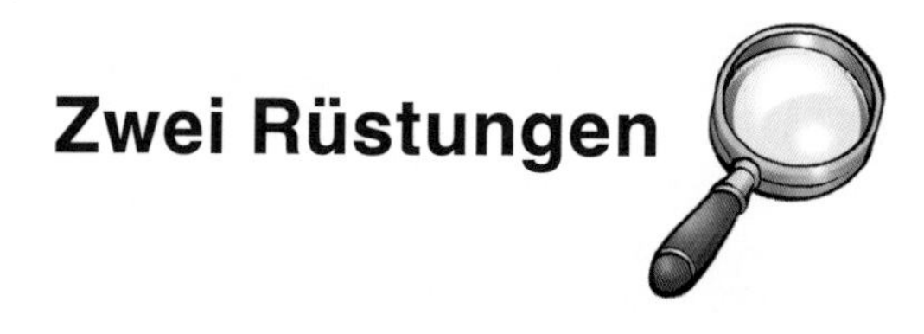

Hier siehst du die grau bemalte Rüstung aus Gold, daneben eine echte Rüstung aus Eisen.
Die Materialien sind verschieden.
Aber welche sieben Unterschiede gibt es noch?

Geisterstunde

Im Schuppen bewahrte Onkel Titus seinen kostbarsten Schrott und seine Werkzeuge auf. Schnell tauschten die drei ??? die Rüstung gegen ein paar alte Blecheimer aus.

„Die klappern auch gut“, sagte Peter grinsend. „Und was machen wir jetzt?“

„Die beiden Gauner werden versuchen, die Kiste zu stehlen“, sagte Justus. „Aber die Ritterrüstung ist nicht mehr darin. Mit der habe ich noch was anderes vor.“

Peter sah ihn an. „Ich ahne schon, was! Du willst in die Ritterrüstung klettern und die Gauner erschrecken!“
„Nicht ich“, sagte Justus. „Sondern du! Du bist der Stärkste von uns. Nur du kannst so eine schwere Rüstung auch bewegen. Wenn die Gauner in die Kiste mit den Dosen gucken, legst du los. Und dann habe ich noch eine Idee.“ Flüsternd erklärte Justus seinen Freunden den Rest seines Plans.
Peter wurde blass. Doch dann nickte er. „Ich finde das nicht gerade angenehm. Aber der Plan ist gut!“

Kurze Zeit später steckte Peter in
der Rüstung. Justus und Bob warfen
eine dicke Decke über ihn.
Dann versteckten sie sich hinter
Onkel Titus' Werkbank und warteten.
Endlich hörten sie Schritte. Die
beiden Gauner kamen!
„Los, rein da", flüsterte die Frau.

Aus ihrem Versteck sahen Bob und Justus, dass die Tür des Schuppens geöffnet wurde.
„Da!“ Die Frau deutete auf die Kiste. „Da drin ist die goldene Rüstung.“
Der Mann öffnete die Kiste. „Da ist nur Schrott drin“, stotterte er.
„Schrott?“, kreischte die Frau.
„Diese Bengel haben uns reingelegt!“
Plötzlich ertönte hinter den beiden ein lautes Quietschen.

„Harrrrrbarabaaaass!“, krächzte
Peter in seiner Rüstung.
Erschrocken drehten sich die Gauner
um und kamen ins Stolpern.
„Jetzt!“, zischte Justus.
Er und Bob sprangen hinter der
Werkbank hervor und schubsten die
Gauner in die Kiste. Mit einem
Aufschrei fielen die beiden hinein.
Rasch klappten Justus und Bob den
Deckel zu und setzten sich darauf.
Dann kam auch Peter und ließ sich
in seiner schweren Ritterrüstung
neben sie fallen.
Von innen klopfte es wütend gegen
den Deckel.

Doch die drei ??? und die Rüstung

zusammen waren zu schwer.

„Gefangen!“, verkündete Justus.

In diesem Moment kamen Onkel Titus

und Tante Mathilda im Transporter

angefahren. Im Polizeiwagen

dahinter folgte Kommissar Reynolds.

„Jungs!“, rief Tante Mathilda.
„Wir haben den Kommissar in der Stadt getroffen. Titus und ich gehen schon mal in die Küche und bereiten alles vor.“
Justus wandte sich aufgeregt an den Kommissar. „Gut, dass Sie da sind. Denn wir haben im Schuppen zwei seltsame Burggespenster gefangen.“
„Burggespenster?“, fragte der Kommissar. Verwundert steckte er seinen Kopf in den Schuppen.
Peter breitete die Arme aus.
„Harrrrrbarabaaaass, ich bin das Burggespenst“, kicherte er.

Dann hob er die Klappe des Visiers und lachte. „Die richtigen Gespenster liegen in der Kiste.“ Nun erzählte Justus die ganze Geschichte.
Der Kommissar kam aus dem Staunen gar nicht mehr heraus. „Unglaublich!“, rief er. „Ihr seid nicht nur gute Detektive, sondern richtige Gespensterjäger. Die Gauner verhafte ich jetzt, und den Schatz bekommt das Krankenhaus. Mein großer Dank geht an euch!“
Justus musste grinsen. „Für uns war das kein Problem. Die drei ??? lösen jeden Fall!“

Ritter-Gold

Finde für die drei ??? den Weg zum Kinderkrankenhaus.

Lösungen

Seite 10: Es sind zwölf Gespenster.

Seite 17: Diese Dinge gehören nicht in eine Burg: Fußball, Boxhandschuh, Fahrradhelm, Handy, Skateboard.

Seite 24:

Heribert von Wolkenstein
Richard Löwenherz
Bob von Bobbersfeld
Kunigunde von Drachenfels

Seite 32: Die Antworten A), C) und D) sind richtig.

Seite 38:

Seite 45: Es sind acht Teile.

Seite 52: Hier siehst du die sieben Unterschiede.

Seite 61: Weg 1 ist richtig.

Die drei ???®
Kids

Mission: Lesen lernen

Die drei Detektive helfen dir!

Lesen lernen ist schwer? Nicht mit diesen spannenden Detektivgeschichten! Justus, Peter und Bob sind an deiner Seite und nehmen dich mit auf die einmalige Reise in die Welt des Lesens. Fesselnde Fälle, knifflige Rätsel und viele bunte Bilder helfen dir und machen ganz viel Spaß!

978-3-440-15342-0

978-3-440-15343-7

978-3-440-15699-5

978-3-440-15805-0

978-3-440-16172-2

978-3-440-16401-3

Zu allen Titeln können auf Antolin.de Punkte gesammelt werden.

je 64 Seiten, ca. 64 Farbillustrationen, ca. €/D 7,99

kosmos.de Preisänderung vorbehalten

Die drei ???: Peter, Justus und Bob sind echte Detektive.
Die Kaffeekanne
Das geheime Versteck der drei ???
Sie ermitteln in …
California
ROCKY BEACH
KALIFORNIEN
ROCKY BEACH
Immer an ihrer Seite:
Kommissar Reynolds